La Tulipe Noire

Texte adapté par
Régine Boutégège et **Susanna Longo**

Rédaction : Domitille Hatuel
Conception graphique : Nadia Maestri
Mise en page : Simona Corniola
Illustrations : Giovanni Manna
Recherches iconographiques : Laura Lagomarsino

© 2004 Cideb

Crédits photographiques
Pages 5, 25, 26, 76, 78 : Giraudon / Bridgeman Art Library ;
page 6 : A. Normandin ; page 14 : N. Barbe, Archives Cideb.

Vous trouverez sur les sites www.cideb.it et www.blackcat-cideb.com (espace
étudiants et enseignants) les liens et adresses Internet utiles pour compléter les
dossiers et les projets abordés dans le livre.
Tous les sites Internet signalés ont été vérifiés à la date de publication de ce livre.
L'éditeur ne peut être considéré responsable d'éventuels changements intervenus
successivement.
Nous conseillons vivement aux enseignants de vérifier à nouveau les sites avant
de les utiliser en classe.

Pour toute suggestion ou information la rédaction peut être contactée à
l'adresse suivante :

www.cideb.it

CISQ CERT
TEXTBOOKS AND
TEACHING MATERIALS
The quality of the publisher's
design, production and sales processes has
been certified to the standard of
UNI EN ISO 9001

ISBN 978-88-530-0131-3 livre + CD

Imprimé en Italie par Litoprint, Genova

Sommaire

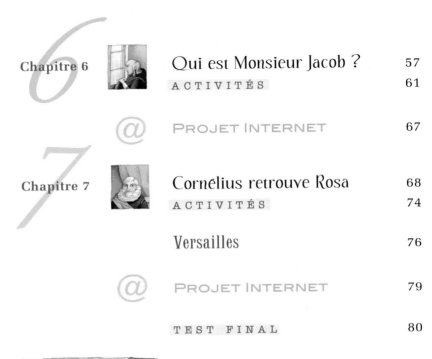

Le texte est intégralement enregistré.

 Ce symbole indique les exercices d'écoute et le numéro de la piste.

 Les exercices qui présentent cette mention préparent aux compétences requises pour l'examen.

Portrait d'Alexandre Dumas père,
Charles A. P. Bellay, XIXe siècle.

ALEXANDRE DUMAS père

Alexandre Dumas est né en 1802. Fils d'un général originaire de Saint-Domingue, il passe son enfance dans le Nord de la France, puis cherche fortune à Paris où il commence à travailler comme employé de bureau.

En 1829, on joue [1] son premier drame romantique *Henri III et sa cour* à la Comédie-Française [2]: c'est un succès et le début de la notoriété pour Alexandre Dumas.

---

1. **jouer** : représenter en public.
2. **Comédie-Française** : théâtre national fondé par Louis XIV en 1680 où on joue le répertoire classique.

Auteur très fécond (il écrira 91 pièces de théâtre et 250 romans), il devient riche et célèbre, voyage beaucoup et mène une vie dissipée.

Les dépenses excessives l'obligent à quitter la France, il se rend à Bruxelles.

En 1860, il suit Garibaldi dans l'expédition des Mille en Sicile.

Il meurt en 1870, presque pauvre.

Alexandre Dumas est surtout connu pour ses romans qui sont à la fois des romans d'aventures et des romans historiques. Les personnages y sont nombreux et les histoires très mouvementées.

Les romans les plus célèbres d'Alexandre Dumas sont *Les Trois Mousquetaires*, *Le Comte de Monte-Cristo*, *La reine Margot*.

Château de Monte-Cristo, demeure et parc d'Alexandre Dumas à Port-Marly.

Chapitre 1

🦋

Deux secrets

n soir de janvier 1672, à Dordrecht en
Hollande, Corneille de Witt, le gouverneur
de la province, rend visite à son filleul [1]
Cornélius Van Baerle. Cornélius est un
jeune homme tranquille. Il ne s'occupe pas
de politique comme son parrain [2]. Lui, il a
une seule passion : les fleurs et plus précisément les tulipes.

Les deux hommes bavardent [3]; Cornélius montre les serres
et le laboratoire à son parrain. Des domestiques travaillent.
Soudain, Corneille murmure :

– Je dois te parler seul !

1./2.   **le parrain** : l'homme qui tient l'enfant (**le filleul**) au moment du baptême catholique.
3.   **bavarder** : parler.

Cornélius dit alors à son parrain :

— Monsieur, voulez-vous visiter mon séchoir [1] de tulipes ?

Le séchoir ! C'est là que Cornélius s'occupe en grand secret des bulbes de ses tulipes. Même les domestiques n'entrent pas dans cette pièce mystérieuse.

— Alors ?

— Je dois te parler de problèmes graves... Le roi de France...

— Oh, la politique, encore !

— Écoute-moi, s'il te plaît. Louis XIV, le Roi-Soleil, occupe notre pays... Je suis l'ami de Louis XIV, mais...

— Mais ?

— Mais le peuple hollandais n'aime pas ce roi et mon ennemi, Guillaume d'Orange, le petit-fils du roi d'Angleterre, complote contre moi... Mais tu écoutes ?

— Comment ? Oui, oui, j'écoute, j'écoute... mais excusez-moi, parrain, cela ne m'intéresse pas beaucoup...

— Je sais... mais tiens, prends ce paquet... Cache-le [2]! Et surtout ne l'ouvre pas ! C'est un secret très important !

Cornélius prend le paquet. Il ouvre un tiroir.

— Voilà ! Je mets ce paquet ici, dans ce tiroir, avec mes bulbes...

1. **le séchoir** : la pièce où on conserve les bulbes au sec.
2. **cache-le** : mets-le dans un lieu où on ne peut le trouver.

— Je te remercie ! Et maintenant parle-moi de tes fleurs...

— Ah, mes fleurs ! Mes tulipes ! Ce sont les plus belles de Hollande !

— Tu exagères !

— Pas du tout ! Et puis... moi aussi, j'ai un secret...

— Un secret ?

— Oui... La Société Horticole de Haarlem donne cent mille florins à qui produira la tulipe noire.

— Une tulipe noire ? Mais les tulipes sont rouges, blanches, jaunes, roses... Une tulipe noire ! Ce n'est pas possible !

— Si, c'est possible ! Imaginez... une tulipe noire comme la nuit...

De l'autre côté de la rue, derrière son télescope, Isaac Boxtel, le voisin de Cornélius, a tout observé.

Il a reconnu Corneille de Witt, le gouverneur, et il a vu Cornélius mettre un paquet mystérieux dans un tiroir...

— Voilà enfin l'occasion d'éliminer ce Van Baerle... C'est moi le meilleur tulipier de Hollande ! Et la tulipe noire sera bientôt à moi !

Compréhension orale et écrite

DELF 1 Écoutez l'enregistrement et cochez les bonnes réponses.

1. Corneille de Witt est
   a. ☑ gouverneur de la province.
   b. ☐ maire de la ville de Dordrecht.

2. Cornélius est
   a. ☐ son fils.
   b. ☑ son filleul.

3. Corneille de Witt demande à Cornélius de cacher
   a. ☑ un paquet mystérieux.
   b. ☐ des bulbes de tulipe.

4. Cornélius veut produire une tulipe
   a. ☐ noire.
   b. ☐ verte.

2 Écoutez à nouveau le début du chapitre, jusqu'à « des domestiques travaillent ». Cochez les phrases que vous entendez.

1. a. ☐ Un soir de janvier 1662.
   b. ☐ Un soir de janvier 1672.

2. a. ☐ Le gouverneur de la province.
   b. ☐ Le gouverneur de la Provence.

3. a. ☐ Les douze hommes bavardent.
   b. ☐ Les deux hommes bavardent.

4. a. ☐ Cornélius montre les serres et le laboratoire.
   b. ☐ Cornélius montre les serres et les laboratoires.

3 Lisez bien le chapitre, puis unissez les éléments des deux colonnes pour former des phrases.

1. [g] Les personnages habitent
2. [ ] L'histoire se passe
3. [b] Corneille de Witt est
4. [h] Cornélius Van Baerle cultive
5. [a] L'ennemi de Corneille de Witt s'appelle
6. [c] Corneille donne à Cornélius
7. [d] Cornélius a découvert
8. [f] Le voisin de Cornélius s'appelle
9. [i] Isaac Boxtel est

a. Guillaume d'Orange.
b. le gouverneur de la province.
c. un paquet mystérieux.
d. le secret de la tulipe noire.
e. en 1672.
f. Isaac Boxtel.
g. en Hollande.
h. des tulipes.
i. jaloux de Cornélius.

Phonétique

1 Écoutez et barrez le e muet [ə].

- [✓] Hollande
- [✓] domestique
- [✓] tu exagères
- [✓] serre
- [✓] j'écoute
- [ ] fleur
- [ ] ennemi
- [✓] jeune
- [✓] problème
- [ ] secret

2 Écoutez bien et trouvez l'intrus.

1. Barrez le dessin où on n'entend pas le son [y].

2. Barrez le dessin où on n'entend pas le son [wɑ].

Grammaire

Les prépositions devant les noms de pays

- Si on va ou si on est dans un pays, on utilise :
    au devant un nom de pays masculin qui commence par une consonne.
    Au Japon, il y a souvent des tremblements de terre.
    en devant un nom de pays masculin qui commence par une voyelle et devant un nom de pays féminin.
    En Iran, les femmes sont voilées.
    En France, comme en Angleterre, il ne fait pas beau.
    aux devant un nom de pays pluriel.
    Aux États-Unis, les élections présidentielles sont difficiles à comprendre.
- Si on revient d'un pays, on utilise :
    de devant un nom de pays féminin commençant par une consonne
    M. Van Baerle revient de Belgique.
    du devant un nom de pays masculin commençant par une consonne.
    M. Van Baerle revient du Chili.
    d' devant un nom commençant par une voyelle.
    Meilleurs souvenirs d'Italie.
    des devant un nom pluriel.
    Il est de retour des Antilles.

1 Lisa a reçu ces cartes postales. Trouvez dans quels pays sont allés ses amis.

Chère Lisa,
Ici, c'est fantastique : je t'ai acheté un petit souvenir au marché de Marrakech....
À Bientôt
Romain

Salut Lisa !
À part la corrida, j'aime tout dans ce pays. Le soleil, les gens, la paella... C'est formidable !
Bises
Émilie

Chère Lisa,
Je suis arrivé hier : le voyage a été long, mais agréable. Cette semaine, on visite la côte ouest : je vais voir Los Angeles ! La semaine prochaine, on ira en Floride. Ici, tout semble gigantesque.
Je t'embrasse.
Martin

1. Martin est _au Maroc_
2. Romain est _en Espagne_
3. Émilie est _aux États-Unis_

2 **Complétez : mettez la préposition qui convient.**

1. Jean vient ..du...... Maroc, et il va ..aux... Antilles.
2. Pierrette arrive .....d'........ Antilles et elle va ...en..... Venezuela.
3. Alain vient ...de...... Venezuela et il va ...en..... Colombie.
4. Marianne arrive ....de..... Colombie et elle va ...en..... Australie.
5. Kevin arrive .....d'...... Australie et il va ...en.... Hollande.
6. Et Julien ? Il ne voyage pas, il reste ...en..... France.

3 **Où parle-t-on français ? Complétez avec la préposition qui convient.**

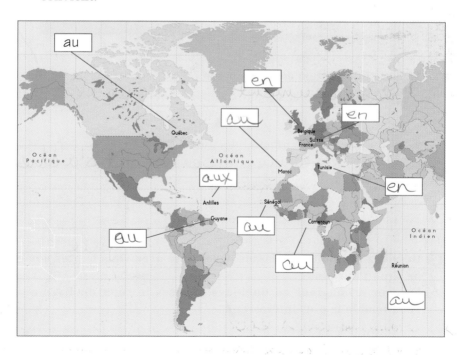

Compréhension écrite et production orale

DELF ❶ Observez ces documents, puis répondez aux questions.

1. Que représentent ces documents ?

   Ces documents sont les (couvertures)
   pour des livres.

2. À qui s'adresse le premier document ?

   Le premier document s'adresse
   aux enfants.

?

DELF ❷ Décrivez les photos ci-dessus. Quel livre avez-vous le plus envie de lire ? Pourquoi ?
Essayez d'imaginer en quelques phrases le sujet du livre qui vous semble le plus intéressant.

J'ai le plus envie de lire « L'Islam
Expliqué aux Enfants » parce que j'ai
lire déjà « Le Fantôme de l'Opéra ». Aussi, je
voudrais connaître plus d'Islam.

Enrichissez votre vocabulaire

1 **Voici des mots qui appartiennent au champ lexical de la famille. Unissez chaque masculin avec son féminin.**

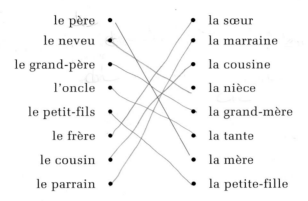

le père •   • la sœur

le neveu •   • la marraine

le grand-père •   • la cousine

l'oncle •   • la nièce

le petit-fils •   • la grand-mère

le frère •   • la tante

le cousin •   • la mère

le parrain •   • la petite-fille

2 **Complétez le tableau.**

Substantifs	Verbes
Le Marriage	Se marier
La naissance	?
La morte	Mourir
La baptisme	Baptiser
Le divorce	*divorcer*
Les fiançailles	?

17

3 Vous avez reçu cette première lettre de votre nouvelle correspondante. Elle parle de sa famille.

Cher correspondant

Je m'appelle Julie, et j'habite avec mes parents, Marc et Valérie, ma petite sœur Marion, et mon grand frère Luc. J'adore passer mes vacances chez mes grands-parents paternels, en Bretagne : mon grand-père, qui s'appelle Alphonse, m'emmène à la pêche en mer, et ma grand-mère me cuisine des crêpes au chocolat excellentes ! Elle s'appelle Élise, et elle est très amusante. Je ne vois pas souvent ma grand-mère maternelle, parce qu'elle habite loin, au Canada. J'ai le même prénom qu'elle, et mon frère a le même prénom que son mari, qui est mort malheureusement. La semaine prochaine, je pars dans le Massif Central, voir mes cousins Victor et Serge : ce sont les enfants de mon oncle Jacques (le frère de ma mère). Avec Danielle, sa femme, ils ont une grande ferme, avec beaucoup d'animaux. J'adore aller chez eux ! J'attends tes nouvelles.

Bises.

Julie.

À partir des indications contenues dans la lettre, complétez l'arbre généalogique de Julie.

Chapitre 2

Les malheurs de Cornélius

 uelques semaines plus tard, dans le
séchoir, Cornélius admire trois bulbes.
– Ils sont lisses ! Ils sont parfaits... Je suis
sûr qu'ils donneront la tulipe noire...

Tout à coup, un homme entre.

– Qui va là ?

– C'est Craeke, le domestique de votre parrain.

Cornélius est surpris. Il laisse tomber deux bulbes ; l'un
roule [1] sous une table, l'autre dans la cheminée.

– Au diable !

Cornélius se met à genoux pour chercher les bulbes.

---

1. **il roule** : il avance en tournant sur lui-même.

– Monsieur, lisez ce message tout de suite ! L'heure est grave !

Craeke pose le message de Corneille sur la table et part aussitôt [1].

– Oui, oui ! Ah ! voilà le premier bulbe ! Il est intact !

Puis il cherche le deuxième bulbe dans la cheminée.

– Quelle chance ! Le voilà, il est intact, lui aussi !

Mais un domestique entre dans le séchoir :

– Monsieur, partez, partez tout de suite !

– Partir ? Mais que dis-tu ?

– Il y a des gardes qui vous cherchent.

– Qui me cherchent ? Pourquoi ?

– Pour vous arrêter, Monsieur, et vous mettre en prison ! Partez !

– M'arrêter, moi ? Mais pourquoi donc ?

Cornélius se relève.

– Partez, Monsieur, ils montent !

Des gardes entrent dans la pièce. Un magistrat les accompagne.

Cornélius prend la feuille que Craeke a laissée sur la table ; il enveloppe les trois bulbes et les met contre sa poitrine.

Le magistrat s'adresse à Cornélius :

– Monsieur Van Baerle, vous cachez des lettres !

– Des lettres ?

– Oui, Monsieur ! Nous voulons les lettres de Corneille de Witt !

– Mais de quoi parlez-vous ?

– Vous refusez de les donner ? Alors, je vais les prendre moi-même !

1. **aussitôt** : immédiatement.

Le magistrat ouvre le tiroir qui contient les bulbes et trouve les lettres.

— Ah ! On nous a donc bien informés ! Ce sont des lettres d'officiers français ! Vous complotez contre la Hollande Monsieur Van Baerle ! Suivez-nous ! Je vous arrête !

— Mais ce paquet n'est pas à moi ! Vous n'avez pas le droit ! Mon parrain Corneille de Witt est le gouverneur de la Hollande, et...

— Votre parrain Corneille de Witt est mort ! Maintenant le gouverneur de la Hollande est le Prince Guillaume d'Orange.

— Que dites-vous ! ?

Cornélius suit [1] les gardes. Il serre [2] toujours contre lui les trois bulbes...

Boxtel, caché derrière un mur, voit passer Cornélius entouré [3] des gardes. Son plan a réussi.

— Ce soir, je vais enfin pouvoir entrer dans le séchoir et prendre les bulbes de la tulipe noire !

Il ne sait pas que Cornélius a emporté son trésor avec lui.

---

1. **il suit** : il marche derrière.
2. **il serre** : il tient fort.
3. **entouré de** : avec, accompagné de.

Compréhension orale

DELF ❶ Écoutez l'enregistrement du chapitre et dites si les affirmations suivantes sont vraies ou fausses.

		V	F
1.	Craeke est le domestique de Corneille de Witt.	✓	
2.	Craeke apporte des bulbes à Cornélius.		✓
3.	Cornélius lit immédiatement le message de Craeke.		✓
4.	Quand les gardes arrivent, Cornélius a le temps de partir.		✓
5.	Le magistrat demande à Cornélius les lettres de son parrain Corneille de Witt.	✓	
6.	Le magistrat ne sait pas où les lettres sont cachées.		✓
7.	Cornélius est accusé de conspiration contre la Hollande.	✓	
8.	Corneille de Witt est mort.	✓	
9.	Cornélius enveloppe les bulbes avec le message de Craeke.	✓	
10.	Cornélius oublie ses bulbes sur la table du séchoir.		✓
11.	C'est Boxtel qui a dénoncé Cornélius.	✓	

❷ Écoutez de nouveau le début du chapitre jusqu'à « Partez, Monsieur, ils montent !» et cochez les phrases que vous entendez.

1. a. ☐ Ils sont gris ! Ils sont parfaits…
   b. ✓ Ils sont lisses ! Ils sont parfaits…

2. a. ☐ Qui est là ?
   b. ✓ Qui va là ?

3. a. ✓ Monsieur, lisez ce message tout de suite !

   b. ☐ Monsieur, laissez ce message tout de suite !

4. a. ✓ Monsieur, partez, partez tout de suite !

   b. ☐ Monsieur, parlez, parlez tout de suite !

5. a. ☐ Partir ? Mais que veux-tu ?

   b. ✓ Partir ? Mais que dis-tu ?

Enrichissez votre vocabulaire

1 **La royauté.**
Associez chaque mot à sa définition.

a. 3 La reine.
b. 4 Le Dauphin.
c. 6 La régence.
d. 2 Le royaume.
e. 1 Le règne.
f. 5 Le prince.

1. La période pendant laquelle un roi a gouverné un pays.

2. Tout le territoire qui dépend d'un roi.

3. La femme du roi.

4. Il doit succéder au roi.

5. Il appartient à une famille souveraine, mais ne règne pas.

6. La période pendant laquelle une personne autre que le roi règne (par exemple parce que le futur roi est trop jeune pour régner).

Louis XIV, le Roi-Soleil

À la mort de Louis XIII, la régence est assurée par Anne d'Autriche, la mère du jeune Dauphin et un ministre, Mazarin. Ce dernier est italien et les Nobles ne l'acceptent pas. Ils doivent alors s'enfuir et quittent Paris. C'est la Fronde [1]. Mais comme dans un conte de fées, tout va bien se terminer pour le futur roi Louis XIV. Anne d'Autriche, Mazarin et le petit Louis rentrent à Paris sains et saufs.

Le Grand Louis décide ensuite de régner seul. Il prend des conseillers pour l'aider à gouverner : Colbert pour l'économie, Louvois pour l'armée et l'artillerie, Vauban pour la défense. Ces personnages sont très précieux. La noblesse, quant à elle, tient un rôle

Anne d'Autriche et Louis XIV Dauphin,
École française du XVIIe siècle,
Château de Versailles.

1. **la Fronde** : mouvement de révolte contre le pouvoir royal.

réduit. Louis XIV s'installe par la suite définitivement à Versailles. Il développe le culte du Roi-Soleil. C'est l'absolutisme.

Louis XIV en costume royal, Rigaud, 1701, musée du Louvre.

Pendant au moins dix ans, Louis XIV est le roi le plus puissant d'Europe. La Lorraine, la Franche-Comté, Strasbourg et le Luxembourg sont annexés à la France.

En France, les Protestants doivent renoncer à leur religion et se convertir au catholicisme. Certains vont alors émigrer en Hollande.

La France veut devenir une grande puissance. Elle fait de nombreuses guerres. Les Français connaissent la misère : les impôts sont lourds, le froid et la disette terribles…

La guerre se termine par le traité d'Utrecht mais la France est économiquement épuisée.

À la mort de Louis XIV, son fils n'a que cinq ans et Philippe d'Orléans devient le Régent.

Ce siècle est appelé le « siècle de Louis XIV ».

DELF **1** **Après avoir lu la présentation du « Roi-Soleil », cochez les affirmations exactes.**

1. Louis XIV devient roi
   a. ☐ immédiatement après la mort de Louis XIII.
   b. ☑ après une période de régence.

2. Mazarin est d'origine
   a. ☐ espagnole.
   b. ☑ italienne.

3. Les nobles
   a. ☑ n'acceptent pas Mazarin.
   b. ☐ l'acceptent immédiatement.

4. Pour régner, Louis XIV a
   a. ☑ de bons conseillers.
   b. ☐ de mauvais conseillers.

5. Sous le règne de Louis XIV, le territoire français devient

    a. ☑ plus grand.

    b. ☐ plus petit.

6. Le roi emmène la cour à Versailles et règne

    a. ☑ de manière absolutiste.

    b. ☐ avec les Nobles.

7. Les protestants

    a. ☐ peuvent pratiquer librement leur religion.

    b. ☑ ne peuvent pas pratiquer librement leur religion.

PROJET INTERNET

Pour en savoir plus sur la vie du roi Louis XIV à Versailles, connectez-vous au site officiel du château de Versailles.

▸ Cliquez sur l'espace Éducation, Documentation jeunesse et sur le chapitre « Une journée du roi Louis XIV ». Lisez le texte et répondez aux questions suivantes.

    a. À quelle heure se lève le roi ?

    b. Quelle est la différence entre le « Petit Lever » et le « Grand Lever » ?

    c. Que font le roi et sa famille à 10 heures ?

    d. Quels sont les passe-temps du roi l'après-midi ?

    e. À quelle heure se termine la journée du roi ?

▸ Cliquez maintenant sur le chapitre « Être enfant à la cour ». Lisez le texte et cochez les affirmations exactes.

    a. ☐ La naissance du Dauphin a été saluée par des coups de canon.

    b. ☐ Les enfants du roi habitent dans les Grands Appartements.

    c. ☐ Jusqu'à 6 ans, les petites filles et les petits garçons sont habillés de la même manière.

    d. ☐ La journée du Dauphin se termine à 20 heures.

    e. ☐ L'éducation du Dauphin est confiée à des précepteurs.

Chapitre 3

🦋

Cornélius devant
ses juges

e gardien de la prison de Loewestein s'appelle Gryphus. C'est un homme dur et violent. Il accompagne Cornélius dans sa cellule. Tout à coup dans l'escalier, une porte s'ouvre : Cornélius se retourne et voit une belle jeune fille aux cheveux blonds.

Gryphus hurle :

– Rentrez chez vous, ma fille !

La cellule de Cornélius est une pièce plutôt grande ; sur la porte, il y a un petit guichet[1], pour contrôler le prisonnier.

Le soir, Gryphus apporte son repas à Cornélius.

---

1. **le guichet :**

– Voilà, Monsieur... C'est sûrement votre dernier repas... Les juges n'aiment pas les traîtres !

Cornélius se met à penser au triste sort qui l'attend. Soudain, quelqu'un l'appelle :

– Monsieur !

Cornélius va vers la porte.

– Mademoiselle... qui êtes-vous ?

La jeune fille ouvre le guichet.

– Rosa, la fille de Gryphus. N'écoutez pas mon père, Monsieur. Vous allez vivre !

– Mademoiselle, vous êtes bonne pour moi. Mais si je dois mourir... je vous donne...

Il prend le papier qui contient les bulbes.

– Mais, qu'est-ce que c'est ?

– Voilà Rosa... Je suis tulipier et j'ai peut-être trouvé le secret de la tulipe noire... Dans cette feuille, il y a trois bulbes... Prenez-les, Rosa, ils sont à vous.

– Mais Monsieur, je ne sais pas...

– Écoutez bien, Rosa ! Plantez ces bulbes. Protégez-les du vent, du soleil... et la tulipe noire fleurira en mai... Puis écrivez à la Société Horticole de Haarlem. Vous gagnerez cent mille florins ! Ce sera votre dot [1], Rosa.

On entend un cri :

– Rosa ! Où es-tu ?

– C'est mon père ! Adieu, Monsieur !

Le lendemain matin, Cornélius passe devant ses juges.

---

1. **la dot** : l'argent que la jeune fille apporte à son mari au moment du mariage.

— Monsieur Cornélius Van Baerle, vous avez gardé chez vous ces lettres ?

— Oui Messieurs !

— Vous êtes donc complice de Monsieur Corneille de Witt, ce traître ! Vous avez conspiré avec des officiers français contre Guillaume d'Orange !

— Non, Messieurs. J'ai seulement pris ce paquet. Je ne fais pas de politique, moi !

— Silence ! Vous méritez la mort, comme votre parrain !

— Sur mon honneur, je n'ai pas ouvert ce paquet !

— Vous ne pouvez pas le prouver, Monsieur Van Baerle !

Cornélius a peur. Le juge continue :

— Mais Monseigneur Guillaume d'Orange est un prince généreux. Il a demandé votre grâce. Vous passerez le reste de vos jours dans la prison de Loewestein.

Compréhension orale

DELF ❶ Écoutez l'enregistrement, puis cochez la bonne réponse.

1. Gryphus est un homme
   a. ☑ dur et violent.
   b. ☐ sûr et méchant.

2. Gryphus vit dans la prison
   a. ☐ seul.
   b. ☑ avec sa fille Rosa.

3. Cornélius demande à Rosa
   a. ☑ de planter les bulbes de la tulipe.
   b. ☐ de laisser la porte de sa cellule ouverte.

4. Les juges accusent Cornélius
   a. ☑ d'avoir conspiré contre Guillaume d'Orange.
   b. ☐ d'avoir assassiné son parrain.

5. Ils condamnent Cornélius
   a. ☐ à mort.
   b. ☑ à passer toute sa vie en prison.

❷ Retrouvez la réponse pour chaque question.

1. ☐c Où le gardien a-t-il emmené Cornélius ?
2. ☐b Pourquoi le gardien dit à Cornélius qu'il va mourir ?
3. ☐d Qui a condamné Cornélius ?
4. ☐e Quel est le crime de Cornélius ?
5. ☐a Le tribunal condamne-t-il Cornélius à mort ?

a. Non, il le condamne à la prison à vie.

b. Parce que le tribunal n'aime pas les traîtres.

c. Dans sa cellule, en prison.

d. Ce sont les juges du tribunal.

e. On l'accuse de conspiration contre Guillaume d'Orange.

Phonétique

1 Écoutez et retrouvez le son [y] ou le son [u].

	[y]	[u]		[y]	[u]		[y]	[u]
1.	✓		5.	✓		9.	✓	
2.		✓	6.	✓		10.		✓
3.		✓	7.		✓	11.		✓
4.		✓	8.	✓		12.	✓	

2 Écoutez et complétez avec « é » ou « è ».

a. Corn.é..lius
b. une pi.è..ce
c. mon p.è..re
d. j'ai trouv.é..
e. é..coutez
f. é..crivez
g. vous m.é..ritez la mort
h. vous avez conspir.é..

Grammaire

Les adjectifs possessifs

masculin	féminin	pluriel
mon	ma	mes
ton	ta	tes
son	sa	ses
notre	notre	nos
votre	votre	vos
leur	leur	leurs

- **Il n'y a pas d'article devant l'adjectif possessif.**
  *M. Dupont a parlé à **ton** professeur.*
  *Elle a donné un cadeau à **sa** meilleure amie.*

- **Devant un nom féminin qui commence par une voyelle ou un *h* muet, on utilise l'adjectif possessif masculin.**
  *Il parle à **mon** amie. **Son** école n'est pas très loin.*

1 Relevez dans ce chapitre tous les adjectifs possessifs et classez-les (masculin singulier/pluriel, féminin singulier/pluriel).

2 Complétez ces mini-dialogues avec les adjectifs possessifs qui conviennent.

1. – Ces lettres sont à vous ?
   – Non, elles appartiennent à mon parrain, ce sont ..S.e.S lettres !
2. – Corneille est le père de Cornélius ?
   – Non, c'est .S.o.n parrain.
3. – Ce sont les domestiques de M. de Witt ?
   – Oui, ce sont S.e.S. domestiques.
4. – Ce sont vos amis qui ont écrit ces lettres ?
   – Non, ce sont les amis des conspirateurs, ce sont .leurs amis.
5. – Boxtel est l'ami de Cornélius et de son filleul ?
   – Non, c'est leur. ennemi.

3 Une jeune Hollandaise vous invite à visiter son pays. Complétez avec les adjectifs possessifs appropriés.

Venez visiter mon .... pays : la Hollande. Bien sûr, vous commencerez par .... capitale : Amsterdam avec .... 156 canaux et .... 600 ponts, ... musée national et .... quartiers pittoresques.

Savez-vous aussi qu'Amsterdam est très renommée pour .... diamants ?

Mais si vous décidez de visiter le reste du pays, vous vous émerveillerez devant .... moulins à vent, ... bicyclettes, ... fleurs, ... polders.

Et n'oubliez pas de goûter à .... bière et à .... fromages !

Compréhension écrite et production orale

DELF **1** Observez ce document, lisez le texte et répondez aux questions.

LE COUP DE CŒUR

Retour vers le néolithique

Trois semaines sans corn-flakes, sans baskets, sans ordinateur et sans télé... En juillet dernier, Tony et Charlène, deux ados de 13 et 14 ans, ont vécu une extraordinaire aventure. Avec leurs parents, ils ont choisi de vivre dans les conditions de nos ancêtres, dans un village néolithique scrupuleusement reconstitué par des archéologues. Car, sous ces airs de « télé-réalité de la préhistoire », cette expérience est très sérieuse. Elle nous montre comment vivaient les hommes il y a 5 000 ans. Au départ, deux familles se sont lancées dans l'aventure.

Sympa la famille Cro-Magnon

Mais au neuvième jour, l'une d'elles a rendu les armes. Traire les vaches, faire du feu sans allumettes, pêcher des truites à la main, aller chercher l'eau à la source, dormir sur des peaux, ce n'est vraiment pas facile !

France 3, dimanche 30 mars 18h

1. Cochez les affirmations exactes.

   a. Cet article présente une famille
   ☐ qui refuse la civilisation moderne.
   ☑ qui a participé à une expérience télé originale.

   b. Cette famille a vécu dans les conditions de vie
   ☑ des hommes préhistoriques.
   ☐ des archéologues.

   c. Pour cette expérience, on a sélectionné
   ☐ une seule famille.
   ☑ deux familles.

d. Cette expérience a été

☐ très facile.

☑ difficile.

2. Combien de personnages y a-t-il sur la photo ? *5*

3. Comment sont-ils habillés ? *Ils sont habillés comme une famille Cro-Magnon.*

4. À votre avis, qui sont-ils ? *La famille qui a rendu les armes au même jour.*

5. D'après le texte, quels sont les éléments qui représentent notre société ?

6. Que font les personnages pour survivre ?

7. C'est une expérience facile ? Vous voudriez participer à une expérience de ce genre, pourquoi ?

Enrichissez votre vocabulaire

1 **Associez chaque mot à sa définition.**

1. g un juge

2. a un prisonnier

3. h une prison

4. b un crime

5. d un avocat

6. ☐ une peine

7. ☐ un tribunal

8. ☐ un procès

a. Celui qui a perdu sa liberté.

b. L'action pour laquelle on est jugé.

c. Le lieu où l'on juge une personne.

d. L'homme (ou la femme) qui défend l'accusé.

e. La punition infligée par la justice.

f. L'action qui décide si l'accusé est coupable ou non.

g. L'homme qui rend la justice.

h. L'endroit où les condamnés sont enfermés.

Chapitre 4

Le plan de Cornélius

e dernier coup de 9 heures vient de sonner quand Cornélius entend dans l'escalier un pas léger.

Quelqu'un ouvre le guichet.

– C'est moi !

– Oh ma bonne Rosa ! Vous êtes venue !

– Oui ! Le soir, mon père s'endort très tôt ; alors... si vous êtes d'accord... je peux venir parler avec vous, pendant un moment...

– Oh, je vous remercie, chère Rosa.

– J'ai rapporté vos bulbes de tulipe...

Elle lui donne les trois bulbes, toujours enveloppés dans le même papier[1].

Cornélius réfléchit :

– Écoutez, ces bulbes sont uniques. Il faut être très prudents...

---

1. **le papier** : la feuille, le message.

La Tulipe Noire

– Mais que voulez-vous faire ?

– Est-ce qu'il y a dans cette prison un petit jardin, une cour ou une terrasse ?

– Il y a un jardin, avec des arbres.

– Vous pouvez m'apporter de la terre de ce jardin ?

– Bien sûr !

– Alors, voici mon plan, Rosa. Plantez le premier bulbe dans le jardin.

– Et les autres ?

– Je prends le deuxième pour le faire pousser [1] ici, il y a un peu de soleil dans l'après-midi... C'est possible !

– Et le troisième ?

– Cachez-le chez vous.

– Bien ! Je peux vous apporter un peu de terre chaque soir.

– Oui, mais attention ! Ne parlez à personne de tout ceci ! Vous êtes seule ici avec votre père ?

– Non... Un homme est arrivé l'autre jour, juste après vous... Il est toujours avec mon père...

– Un homme... Qui est-ce ?

– Il s'appelle Jacob Gisels.

– Que veut-il ?

– Je ne sais pas... Mais il me regarde tout le temps et il me suit... Je crois qu'il est amoureux...

Rosa devient toute rouge.

– Et vous... vous l'aimez ?

– L'aimer, lui ? Oh non, bien sûr que non !

Cornélius prend les mains de la jeune fille :

– Oh, chère Rosa !...

1. **faire pousser** : faire grandir une plante ou une fleur.

Compréhension orale

DELF 1 **Écoutez bien l'enregistrement du chapitre, puis cochez les affirmations exactes.**

1. Rosa peut monter voir Cornélius
   - **a.** ☐ tous les matins.
   - **b.** ☐ tous les soirs.
   - **c.** ☐ tous les dimanches.

2. Rosa apporte à Cornélius
   - **a.** ☐ son déjeuner.
   - **b.** ☐ les trois bulbes.
   - **c.** ☐ un livre.

3. Cornélius demande à Rosa
   - **a.** ☐ de la terre.
   - **b.** ☐ un verre.
   - **c.** ☐ de la bière.

4. Il demande à Rosa de planter le premier bulbe
   - **a.** ☐ dans un vase.
   - **b.** ☐ sur le balcon.
   - **c.** ☐ dans le jardin.

5. Il veut faire pousser le deuxième bulbe
   - **a.** ☐ dans sa cellule.
   - **b.** ☐ sur le toit de la prison.
   - **c.** ☐ dans le parc.

6. Il demande à Rosa
   - **a.** ☐ de jeter le troisième bulbe.
   - **b.** ☐ de cacher le troisième bulbe.
   - **c.** ☐ de planter le troisième bulbe dans le jardin.

7. Jacob est peut-être
   - **a.** ☐ un nouveau gardien.
   - **b.** ☐ un nouveau prisonnier.
   - **c.** ☐ un amoureux de Rosa.

Détente

1 **Mots croisés.**
Tous les mots à trouver sont dans le chapitre.

Horizontalement

1. Le contraire de *tard*.
2. Loewenstein en est une.
3. Il en faut pour faire pousser une fleur.
4. Mettre une plante dans le sol.

Verticalement

1. Cornélius en a un pour faire pousser les tulipes.
2. Le nombre des bulbes.
3. Il en faut aussi pour faire pousser les fleurs.
4. Un nom de fleur qui a donné le prénom de l'amie de Cornélius.
5. Il enveloppe les bulbes.

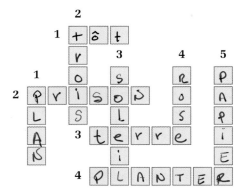

Dites-le avec des fleurs

Un dossier pour apprendre le langage des fleurs et des expressions fleuries… pour admirer les tournesols de Van Gogh, et découvrir des fleurs des champs très utiles.

1 Écrivez sous chaque photo le nom de la fleur.

> l'œillet   le coquelicot   la tulipe
> la rose   le lys   la violette

le coquelicot

la violette

la tulipe

le lys

l'œillet

la rose

43

2 Chaque fleur a une signification particulière. Associez chaque fleur au petit texte qui la présente.

la rose

l'œillet

le lys

le chrysanthème

le muguet

la marguerite

1. Il symbolise la distinction sociale : sous la révolution, pour monter à la guillotine, les nobles en portaient un à leur veste. Aujourd'hui, les hommes élégants le mettent à la boutonnière pour des soirées très chic.

....

2. Cette fleur blanche représente la pureté. C'est aussi le symbole de la royauté.

....

3. Le premier mai, les Français vont le cueillir dans la forêt ; il porte bonheur.

....

4. C'est la plus élégante et la plus fragile des fleurs. C'est sa couleur qui parle pour elle : si elle est rouge, elle indique l'amour passionné ; blanche, elle représente le mystère ; jaune elle symbolise l'infidélité. Faites attention à ses épines !

   ....

5. Le jour de la Toussaint, le premier novembre, on dépose cette fleur dans les cimetières, sur les tombes.

   ....

6. Elle représente la modestie. C'est la fleur préférée des amoureux parce qu'elle leur dit si leur amour est réciproque.

   ....

3 Voici plusieurs expressions avec le mot « fleur » ou le nom d'une fleur. Devinez leur sens.

1. ☐ devenir rouge comme une pivoine
2. ☐ faire une fleur
3. ☐ être fleur bleue
4. ☐ être frais comme une rose
5. ☐ avoir un teint de lys

a. rendre un service
b. être très pâle
c. devenir très rouge, par timidité
d. être très sentimental
e. être en pleine forme

4 Lisez cette présentation sur Van Gogh et répondez aux questions.

UN ARTISTE HOLLANDAIS
QUI AIMAIT LES FLEURS

Vincent Van Gogh est né en 1853 à Groot Zundert, dans le Brabant hollandais. À 15 ans, il abandonne ses études, et travaille pour la maison Goupil, commerçants d'art, à La Haye. Ce métier lui permet de découvrir la peinture, mais il choisit de devenir peintre seulement en 1880.

Les tournesols et les iris sont les fleurs qu'il aime peindre. 12 de ses tableaux représentent des tournesols : ces tableaux devaient orner les pièces de la maison jaune d'Arles, où Van Gogh pensait travailler avec son ami Gauguin. Ces fleurs symbolisent le soleil, l'optimisme de l'artiste à cette période de sa vie. Mais le séjour à Arles tourne à la catastrophe : Van Gogh est enfermé dans un asile psychiatrique, dans le sud de la France. Il se suicide en 1890.

1. Dans quel pays est né Van Gogh ?

2. Dans quel pays est-il mort ?

3. Quelles fleurs aime-t-il représenter ?

4. Que symbolise le tournesol ?

5. Comment Van Gogh est-il mort ?

5 **Lisez ce texte et répondez aux questions.**

DES FLEURS CONTRE LA POLLUTION...

Les fleurs sentent bon, elles sont belles, mais savez-vous qu'elles sont aussi utiles ?

Aujourd'hui, des savants ont découvert que les fleurs peuvent nous aider à lutter contre la pollution : en effet, certaines fleurs ont le pouvoir d'absorber des métaux nocifs pour l'air, les sols et naturellement l'homme. Par exemple, la moutarde « aspire » le plomb, l'uranium ne résiste pas au tournesol... On expérimente ce procédé de décontamination dans le nord de la France, autour d'une usine aujourd'hui fermée, mais qui a pollué pendant des années une vaste zone.

Alors, pour vivre mieux...plantons des fleurs !

1. Pourquoi dit-on que les fleurs sont utiles ?

2. Comment fonctionne ce mécanisme ?

3. Contre quel métal les tournesols sont-ils efficaces ?
   Et la moutarde ?

4. Est-ce que ce système est expérimenté ?
   Où se passe cette expérience ?

Chapitre 5

La tulipe est noire

ornélius plante le premier bulbe dans un pot [1]; il le cache dans sa cellule, mais un jour Gryphus le trouve et le détruit. Rosa, elle, ne réussit pas à planter le deuxième dans le jardin parce que l'horrible Jacob la surveille constamment. Alors, elle plante elle aussi le bulbe dans un pot et le garde dans sa chambre.

Un soir, elle annonce à Cornélius :

— La tulipe a levé !

— Comment ? Ah, Rosa ! Et elle est bien droite ?

— Oui, elle est droite.

— Et elle est haute ?

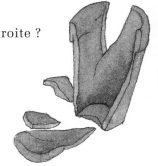

1. **un pot :**

— Oui, deux pouces [1] au moins.

— Alors elle va grandir vite !

Quelques jours plus tard, Rosa annonce les yeux brillants :

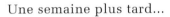

— Les feuilles sont ouvertes !

— Les feuilles sont ouvertes ! Comment sont-elles ?

— Droites et vertes !

Une semaine plus tard...

— Elle est entrouverte [2] !

— Entrouverte ! Alors, on peut voir la couleur ?

— Oui, elle est foncée [3].

— Brun ?

— Oh ! Plus foncée ! Foncée comme l'encre [4], comme la nuit.

— Ah Rosa ! Ma tulipe fleurit, et elle sera noire, j'en suis sûr !

— Oui, elle va fleurir demain ou après-demain.

Cornélius soupire :

— Demain... et je ne pourrai pas la voir !

Le lendemain...

— Cornélius, mon ami, venez vite ! Elle est ouverte et elle est noire ! La voilà !

— Comment, la voilà ?

1. **un pouce** : ancienne mesure de longueur (2,54cm).
2. **entrouverte** : à peine ouverte.
3. **foncé** : le contraire de clair.
4. **l'encre** : le liquide noir qu'il y a dans les stylos pour écrire.

La tulipe est noire

— Oui, oui ! La voilà, regardez !

Rosa montre la tulipe à Cornélius :

— Oh ! Elle est splendide, magnifique et sa fleur est noire et brillante. Vite, il faut écrire à Haarlem, au président de la Société Horticole.

— C'est déjà fait. Je rapporte la tulipe dans ma chambre et je donne la lettre à un domestique. Il est prêt à partir pour Haarlem.

Quelques instants plus tard...

— Cornélius ! La tulipe !

— Eh bien ?

— On l'a prise, on l'a volée !

— Volée ? Mais comment ? Quand ?

— Je l'ai laissée un instant seulement, pour apporter la lettre au domestique. Quand je suis retournée dans ma chambre, je n'ai plus retrouvé la tulipe ! Oh Cornélius ! Qu'allons-nous faire ?

Compréhension orale

DELF **1** Écoutez l'enregistrement et cochez les bonnes réponses.

1. Le premier bulbe est détruit
   - **a.** ☐ par Cornélius.
   - **b.** ☐ par Gryphus.

2. Rosa ne peut pas planter le bulbe dans le jardin
   - **a.** ☐ parce qu'il fait trop froid.
   - **b.** ☐ parce que Jacob la surveille.

3. Rosa fait pousser le bulbe
   - **a.** ☐ dans un pot dans sa chambre.
   - **b.** ☐ dans la cellule de Cornélius.

4. Quand la tulipe de Rosa pousse, on voit d'abord
   - **a.** ☐ les feuilles.
   - **b.** ☐ la fleur.

5. Cornélius demande à Rosa
   - **a.** ☐ d'apporter immédiatement la tulipe à Haarlem.
   - **b.** ☐ d'écrire à Haarlem pour annoncer la nouvelle.

6. La tulipe a disparu parce que
   - **a.** ☐ quelqu'un l'a volée.
   - **b.** ☐ Rosa l'a perdue.

Phonétique

1 Écoutez et retrouvez le son [ã] ou le son [õ].

	[ã]	[õ]		[ã]	[õ]		[ã]	[õ]
1.	☐	☐	5.	☐	☐	9.	☐	☐
2.	☐	☐	6.	☐	☐	10.	☐	☐
3.	☐	☐	7.	☐	☐	11.	☐	☐
4.	☐	☐	8.	☐	☐	12.	☐	☐

Grammaire

Les verbes du 2e groupe comme *finir*

je fin**is**	nous fin**issons**
tu fin**is**	vous fin**issez**
il / elle /on fin**it**	ils / elles fin**issent**

Beaucoup de verbes appartenant à cette conjugaison sont formés à partir d'un adjectif qualificatif :

noir → noircir   blanc → blanchir   rouge → rougir
vert → verdir   pâle → pâlir   maigre → maigrir

Ces verbes font leur participe passé en **-i** : finir → fini
                                                            pâlir → pâli

Au passé composé : *Il a fini son travail.*
                          Elle a rougi.

1 Relisez le chapitre et retrouvez les trois verbes appartenant à cette conjugaison.

2 Parmi les verbes suivants, retrouvez ceux qui appartiennent au deuxième groupe.

partir   finir   sortir   pâlir   réussir   agir   dormir
vieillir   rajeunir   salir   mentir   fleurir   grandir

3 Mettez les verbes entre parenthèses à la forme qui convient (présent ou passé composé).

1. Si vous (*réfléchir*)........................., vous pouvez trouver la solution de l'énigme.

2. Nous (*ne pas finir*) .... le livre, nous ne savons pas encore la fin de l'histoire.

3. Si les enfants (*ne pas obéir*).................., il faut les punir !

4. « Si ma tulipe (*fleurir*) ...., je gagnerai le concours »,
pense Cornélius.

5. Les vacances t'ont fait du bien ! Tu (*rajeunir*) .... de
10 ans !

6. Les enfants (*grandir*)..............., les adultes (*vieillir*)
....

7. Cornélius et Rosa (*réussir*) .... à cacher les bulbes.

8. Quand elle lui a parlé, il (*rougir*) ....

9. Elle (*punir*) .... son fils parce qu'il a eu de mauvaises
notes à l'école.

10. Elle (*réussir*)........ toujours ses recettes.

Enrichissez votre vocabulaire

1 **À propos de couleurs. Que signifient les expressions suivantes ?**

1. Son patron, c'est sa bête noire !

   a. ☐ C'est une personne qu'il adore.

   b. ☐ C'est une personne qu'il déteste.

2. Ce n'est pas rose.

   a. ☐ Ce n'est pas gai.

   b. ☐ Ce n'est pas intéressant.

3. Je n'aime pas le jambon blanc.

   a. ☐ Je n'aime pas le jambon cru.

   b. ☐ Je n'aime pas le jambon cuit.

4. Il voit rouge.

   a. ☐ Il a attrapé un coup de soleil.

   b. ☐ Il se met en colère.

2 Mettez ces mots à leur place.

> la pelouse   les fleurs   un arbre   un lac
> une fontaine   un jet d'eau   un banc
> une poubelle   une haie   une allée

Production orale

DELF **1** Dans un jardin public, vous voyez un homme qui jette des papiers par terre. Vous allez à sa rencontre et vous lui faites remarquer qu'il se comporte mal.

a.   Il comprend et s'excuse.

b.   Il se met en colère.

Deux par deux, imaginez ces dialogues, puis jouez-les.

Compréhension écrite

DELF ❶ **Vous avez reçu ces textos sur votre portable. Quels sentiments expriment-ils ?**

a. la déception   **b.** l'inquiétude

c. l'enthousiasme   **d.** la colère.

1. ☐ On a perdu la finale ! Et pourtant, on a très bien joué !

2. ☐ Je viens de voir *Les triplettes de Belleville* !
Vas-y, c'est super !

3. ☐ Où es-tu ? Tu devais rentrer à 10 heures !
Appelle-moi tout de suite !

4. ☐ Tu pourrais répondre quand je t'appelle !
J'en ai assez de tes caprices !

Production écrite

DELF ❶ **Écrivez un billet pour les situations suivantes.**

1. Votre classe vient de gagner la finale du tournoi de basket-ball de votre collège. Vous n'avez pas assisté au match parce que vous avez la varicelle. Vous envoyez un message électronique aux joueurs de l'équipe pour les féliciter.

2. Vous avez prévu d'aller dimanche prochain à la piscine avec un(e) ami(e). Mais vous avez eu une mauvaise note à un devoir, et comme punition, vous devez rester à la maison. Vous envoyez un mél à votre ami(e) pour lui annoncer que vous ne pourrez pas le (la) retrouver. Vous exprimez votre colère et votre déception.

Chapitre 6

Qui est monsieur Jacob ?

osa décide de se rendre à [1] Haarlem pour retrouver la tulipe noire. Elle prend un peu d'argent et le troisième bulbe qu'elle cache soigneusement [2] sur elle.

Le lendemain, elle frappe à la porte de la Société Horticole ; un domestique vient ouvrir :

— Je veux parler à Monsieur le Président. Il s'agit de la tulipe noire !

Le président, Monsieur Van Systens, la reçoit immédiatement.

---

1. **se rendre à** : aller à.
2. **soigneusement** : très bien.

— Eh bien Mademoiselle, vous venez pour la tulipe noire ?

— Oui Monsieur, on me l'a volée !

— On vous l'a volée ? Et qui donc ?

— Oh, je ne peux accuser personne, mais...

— De toute façon vous arrivez trop tard, ma fille. Quelqu'un a déjà déposé une tulipe noire ce matin.

— Qui ?

— M. Isaac Boxtel.

— Isaac Boxtel ? Qui est-ce ? C'est la première fois que j'entends ce nom !

Soudain, le visage de Rosa s'illumine :

— Monsieur, Isaac Boxtel est un homme maigre ?

— Oui.

— Et... il est chauve [1]?

— Oui.

— Et... il marche le dos courbé [2]?

— Mais oui ! Alors, vous le connaissez ?

— C'est lui ! C'est M. Jacob ! C'est lui qui a volé ma tulipe !

— Monsieur Jacob ? Mais que dites-vous ? Il s'appelle Isaac Boxtel !

— Monsieur ! Je dis la vérité ! Je dis la vérité ! Vous devez me croire !

Soudain, on entend des cris : « Monseigneur ! Vive Monseigneur ! »

---

1. **chauve** : qui n'a pas de cheveux.
2. **le dos courbé** : il ne se tient pas droit.

Le prince Guillaume d'Orange entre.

— Monseigneur, Votre Altesse chez moi ! Quel honneur !

— Cher Monsieur, j'ai appris la nouvelle et je suis impatient de voir la tulipe noire. Où est-elle ?

— Son propriétaire va l'apporter, Monseigneur, mais...

— Qu'y a-t-il ?

— Il y a un problème. Une jeune fille réclame la tulipe, elle prétend que c'est la sienne... Elle est dans la pièce à côté...

— Une jeune fille ? Eh bien, interrogeons-la ! Je suis le premier magistrat du pays, je ferai justice !

Compréhension orale

DELF 1 Écoutez l'enregistrement du chapitre et dites si les affirmations sont vraies ou fausses.

	V	F
1. Rosa emporte le dernier bulbe avec elle.	☐	☐
2. Elle demande à parler avec le commandant.	☐	☐
3. Le président de la société horticole la reçoit immédiatement.	☐	☐
4. Il s'appelle Monsieur Van Systens.	☐	☐
5. Rosa est la première à déposer une tulipe noire.	☐	☐
6. Elle dit qu'on lui a volé la tulipe noire.	☐	☐
7. Isaac Boxtel et Monsieur Jacob sont la même personne.	☐	☐
8. Guillaume d'Orange est venu pour voir la tulipe noire.	☐	☐
9. Il décide d'interroger Rosa.	☐	☐
10. Il ne peut pas rendre la justice.	☐	☐

2 Écoutez le passage qui va du début à « ... une tulipe noire ce matin » et soulignez les mots que vous entendez.

président	parler	argent	demander
urgent	tulipe	pétale	accuser

Phonétique

1 Écoutez et mettez une croix si vous entendez le son [wa].

1. ☐   3. ☐   5. ☐   7. ☐
2. ☐   4. ☐   6. ☐   8. ☐

2 Écoutez et mettez une croix si vous entendez le son [ø].

1. ☐   3. ☐   5. ☐   7. ☐
2. ☐   4. ☐   6. ☐   8. ☐

Grammaire

Le futur

- Pour former le futur, on ajoute à l'infinitif les désinences :

-ai	-ons
-as	-ez
-a	-ont

Parler → je parler**ai**
Finir → je finir**ai**

- Pour les verbes qui se terminent par **e** à l'infinitif, on supprime le **e** :

Prendre → je prendr**ai**
Mettre → nous mettr**ons**

- Les verbes **être**, **avoir** et **aller** ont un futur irrégulier :

Être : *je serai, tu seras, il sera, nous serons, vous serez, ils seront*
Avoir : *j'aurai, tu auras, il aura, nous aurons, vous aurez,*
ils auront
Aller : *j'irai, tu iras, il ira, nous irons, vous irez, ils iront*

1 Mettez les verbes entre parenthèses au futur.

1. Rosa (*se rendre*) .... à Haarlem pour retrouver la tulipe noire. Elle (*cacher*) .... le troisième bulbe sur elle.

2. Elle (*parler*) .... au président de la Société Horticole et lui (*dire*) .... la vérité.

3. Elle (*comprendre*) .... qui est Isaac Boxtel.

4. Guillaume d'Orange (*arriver*) .... pour voir la tulipe noire, il (*interroger*) .... Rosa et il (*faire*) .... justice.

2 Imaginez à quoi ils rêvent.

a. J'irai ....

....

b. Je deviendrai ....

....

3 Comment sont-ils ? Comment deviendront-ils ? Regardez ces dessins et décrivez ces personnes. Comment sont-elles ? Comment seront-elles à 30 ans et à 50 ans ?

a. Aujourd'hui...........................
....

b. À 30 ans.............................
....

c. .À 50 ans.............................
....

4 Comment vivons-nous ? Et comment vivrons-nous dans 50 ans ?

a. Aujourd'hui..

b. Dans 50 ans,...

Enrichissez votre vocabulaire

1 **Associez chaque mot à son contraire.**

chauve •   • court

petit •   • grand

maigre •   • laid

beau •   • raide

frisé •   • gros

long •   • chevelu

2 **Trouvez les intrus dans les listes de mots suivants qui se rapportent tous à la description physique et expliquez votre choix.**

1. maigre – mince – gros- beau
2. chauve – frisé – raide – grand
3. moustaches – barbe – nez – ongle
4. pied – jambe – coude – genou
5. main – ongle – pied – doigt
6. bras – coude – mince – main
7. yeux – bouche – oreille – coude

Compréhension écrite et production orale

DELF ❶ Observez ce document.

1. Que présente-t-il ?
2. À qui s'adresse-t-il ?
3. En quelles langues est-il rédigé ? Pourquoi ?

2 Julien est un petit garçon belge qui habite à Liège. Il a trouvé ce dépliant et demande à ses parents de l'emmener passer un dimanche dans ce parc. Il demande aussi d'emmener avec lui son meilleur copain. Imaginez le dialogue, puis jouez-le en classe.

....

....

....

....

....

....

....

PROJET INTERNET

Sur les traces de la Tulipe Noire.

Connectez-vous au site officiel du tourisme néerlandais.

▸ Regardez la page d'accueil du site.
Quels éléments caractéristiques de la Hollande sont représentés ?

▸ Cliquez sur le lien « sites et régions » et trouvez la page consacrée à la ville de Haarlem.
Lisez la présentation de cette ville : comment s'appelle l'artiste originaire de cette ville ?

▸ Cherchez le nom des 4 régions qui composent les Pays-Bas.

▸ Trouvez le lien « La route des fleurs ». Lisez la présentation de cet itinéraire.

  – En quelle saison cette région est-elle la plus belle ? Pourquoi ?

  – Quelle est la longueur de l'itinéraire proposé ?

▸ Cherchez dans quelle petite ville se trouve le « musée de la Tulipe Noire ».

Chapitre 7

🦋

Cornélius retrouve Rosa

h bien, Mademoiselle, qui êtes-vous ?
– Je suis la fille du gardien de la prison de
Loewestein.

– Et vous prétendez avoir créé la tulipe
noire ? Vous êtes alors une savante
fleuriste !

Rosa hésite :

– Eh bien non, moi, je ne suis qu'une fille du peuple... C'est
un prisonnier qui a fait pousser la tulipe noire.

– Un prisonnier ? Et qui donc ?

– Cornélius Van Baerle.

– Cornélius Van Baerle ! Le filleul de Corneille de Witt, ce
traître, ce conspirateur !

Cornélius retrouve Rosa

Guillaume d'Orange se lève ; il est furieux :

— Et puis, Mademoiselle, vous savez qu'il est interdit de parler aux prisonniers d'État [1]! C'est grave ce que vous avez fait et je vais...

Soudain un homme entre : il porte la tulipe noire. Rosa crie :

— C'est lui ! C'est Monsieur Jacob ! Il a ma tulipe ! Il l'a volée dans ma chambre !

Le prince demande :

— Monsieur, qui êtes-vous ?

— Je m'appelle Isaac Boxtel, Monseigneur.

— Et cette tulipe est à vous ?

— Oui, Monseigneur.

Mais Rosa ne peut s'empêcher de crier :

— Il ment ! Monseigneur, demandez-lui où sont les trois bulbes !

— Eh bien, où sont-ils ?

— Le premier est mort, le deuxième a donné la tulipe noire...

— Et le troisième ?

— Le troisième... Il... il est chez moi !

— Ce n'est pas vrai ! Monseigneur, voici le troisième bulbe ! Il appartient à Cornélius Van Baerle !

Rosa sort de son corsage [2] le bulbe enveloppé dans une feuille et le tend à Guillaume d'Orange.

---

1. **prisonnier d'État** : prisonnier politique.
2. **un corsage** : une chemise, pour les femmes.

Le prince déplie [1] la feuille. Un message écrit à la main attire son attention. Il lit :

> **Cher filleul,**
> **brûle le paquet de lettres que je**
> **t'ai donné. Brûle-le sans l'ouvrir et**
> **sans le regarder ! Tu auras ainsi la**
> **vie sauve et nous aussi.**
> **Adieu et aime-moi !**
>
> **Corneille de Witt**

Le prince devient pâle :

— Cornélius Van Baerle a dit la vérité ! Ce papier prouve son innocence ! Retirez-vous ! Dans deux jours, justice sera faite !

Deux jours plus tard, Cornélius accompagné de deux gardes arrive à Haarlem. Tous les habitants sont réunis sur la place de la ville. Le Prince Guillaume d'Orange, le président de la Société Horticole, Isaac Boxtel, Rosa et des gardes entourent la tulipe noire qui est posée sur un trône au centre de la place.

---

1. **il déplie** : il ouvre, il étend.

Le prince demande à Rosa :

— Mademoiselle, cette tulipe est à vous ?

— Oui, Monseigneur.

— Eh bien, voici les cent mille florins ! Monsieur Boxtel, ne protestez pas ! Vous êtes un imposteur et un voleur [1]! Vous serez puni comme il se doit !

Guillaume d'Orange prend Rosa par la main et va vers Cornélius.

— Monsieur, vous avez été condamné injustement. Vous n'avez pas conspiré contre moi. Vous êtes un homme libre. Vous pouvez rentrer chez vous, à Dordrecht, et épouser cette jeune fille... à qui vous devez beaucoup !

Il met la main de Rosa dans celle de Cornélius.

— La tulipe noire s'appellera « Rosa Baerlensis », comme vous, Rosa Van Baerle, puisque c'est votre nom maintenant.

---

1. **un voleur** : une personne qui prend ce qui n'est pas à elle.

Compréhension orale

DELF ❶ **Écoutez bien la première partie de l'enregistrement (jusqu'à «justice sera faite»). Dites qui prononce les phrases suivantes.**

    a. Rosa   **b.** Guillaume d'Orange   **c.** Isaac Boxtel

1. ☐ Je suis la fille du gardien de la prison de Loewestein.

2. ☐ C'est un prisonnier qui a fait pousser la tulipe noire.

3. ☐ Il est interdit de parler aux prisonniers d'État.

4. ☐ Et cette tulipe est à vous ?

5. ☐ Il ment Monseigneur.

6. ☐ Le deuxième a donné la tulipe noire.

7. ☐ Voici le troisième bulbe.

8. ☐ Justice sera faite.

DELF ❷ **Écoutez maintenant la fin de l'enregistrement et répondez aux questions.**

1. À qui Guillaume d'Orange donne-t-il cent mille florins ?

....

....

2. Qui est un imposteur et un voleur ?

....

....

3. Que vont faire Rosa et Cornélius ?

....

....

Compréhension écrite

DELF **1** Observez ce document, puis répondez aux questions.

Concours des jeunes inventeurs

Le Crédit Lyonnais a récompensé les meilleures inventions proposées par des jeunes. Les gagnants ont reçu des chèques de 2000, 1500 et 1000 euros. C'est un jeune garçon de 14 ans qui a gagné le premier prix. Il s'appelle Thibault, et il a inventé un porte-ski à roulettes ! Avec cette invention, les skieurs ne doivent plus porter leurs skis sur l'épaule, pour aller au pied des pistes. Ils les tirent derrière eux, grâce à un ingénieux système...

1. Quel âge a Thibault ?
2. Comment s'appelle l'objet qu'il a inventé ?
3. À quoi sert cet objet ?
4. Quel prix a-t-il gagné pour son invention ?

2 Regardez la photo : c'est la « trottineige » qui a gagné le deuxième prix. Décrivez cette machine, et dites à quoi elle peut servir.

....

....

La naissance de Versailles

À l'origine, Versailles est seulement un petit pavillon de chasse que Louis XIII fait construire dans un village situé dans les Yvelines, près de Paris. Quand Louis XIV commence à gouverner, il a peur de voir la noblesse se révolter (rappelez-vous la Fronde : voir le dossier sur Louis XIV p. 25) et décide alors de déplacer la cour à Versailles. Il fait agrandir le pavillon de chasse ; les architectes Le Vau et J. Hardouin-Mansart dirigent les travaux.

Le château de Versailles et la place d'Armes, Pierre-Denis Martin, 1722, Château de Versailles.

Versailles, symbole du classicisme français

Le XVIIe siècle est l'âge d'or du classicisme français. L'architecture est elle aussi marquée par ce mouvement dont les trois qualités indispensables sont la rigueur, l'équilibre et l'harmonie et Versailles en est le modèle par excellence.

Les lieux les plus célèbres de cette résidence royale sont la Galerie des Glaces (74m de long, 10m de large et 13m de haut) décorée par Le Brun, la Chapelle et le Grand appartement du Roi. À l'extérieur, trois cours : la cour des Ministres, la cour Royale et la cour de Marbre ; l'Orangerie et les jardins dessinés par Le Nôtre.

Les nombreux bassins s'inspirent de la mythologie : le bassin d'Apollon représente le Roi-Soleil, le bassin d'Encelade, celui de Latone, celui de Neptune, etc.

Au nord-est du palais, on peut visiter le Grand et le Petit Trianon.

Bassin d'Apollon, André Le Nôtre, Jardin de Versailles.

Versailles et la fête continue

Au XVIIe siècle, la cour habite à Versailles où le temps s'écoule au rythme des fêtes somptueuses, des représentations théâtrales et des concerts. C'est là que la comédie-ballet est inventée. On raconte que le roi lui-même participe comme acteur à ces spectacles. La fête des Plaisirs de l'Île enchantée a duré environ une semaine.

La salle de bal, 1688, Jean Cotelle, Château de Versailles.

Louis XIV, véritable mécène, favorise les arts et surtout le théâtre : Molière et Lully connaissent un succès mérité. C'est à Versailles que les grandes pièces de Molière (*l'Avare, Dom Juan, Le Bourgeois Gentilhomme*) sont nées.

1 **Cochez les affirmations exactes.**

1. ☐ À l'origine, Versailles était un petit pavillon de chasse.
2. ☐ C'est Le Nôtre qui a construit le château de Versailles.
3. ☐ Les bassins des jardins s'inspirent des grands faits de l'histoire de France.
4. ☐ Le Grand Trianon et le Petit Trianon complètent l'ensemble de Versailles.
5. ☐ Certaines fêtes ont duré plusieurs jours.
6. ☐ Molière a représenté pour la première fois ses plus grandes pièces de théâtre à Versailles.

PROJET INTERNET

Vous allez faire un voyage à Paris au mois de mai avec votre classe, et vous désirez en profiter pour aller visiter le château de Versailles. Vous cherchez des renseignements pratiques sur le site officiel du château de Versailles.

▶ Pour les visites guidées, combien de personnes maximum y a-t-il dans un groupe ?

▶ Quand devez-vous réserver votre visite guidée ?

▶ Pouvez-vous réserver par téléphone ?

Et pour préparer ce voyage, pourquoi ne pas faire une visite virtuelle du château ? Cliquez, et perdez-vous dans les salles et dans les jardins du château de Versailles....

1 **Choisissez les propositions exactes.**

1. Corneille de Witt est
   - **a.** ☐ l'ami de Louis XIV et de Guillaume d'Orange.
   - **b.** ☐ l'ennemi de Louis XIV et l'ami de Guillaume d'Orange.
   - **c.** ☐ l'ami de Louis XIV et l'ennemi de Guillaume d'Orange.

2. Il demande à Cornélius de cacher
   - **a.** ☐ un paquet de lettres.
   - **b.** ☐ des bijoux.
   - **c.** ☐ des bulbes de tulipes.

3. Boxtel dénonce Cornélius parce que
   - **a.** ☐ c'est l'ami de Guillaume d'Orange.
   - **b.** ☐ il veut voler les bulbes de la tulipe noire.
   - **c.** ☐ il est amoureux de la femme de Cornélius.

4. Quand Cornélius est arrêté, il emporte avec lui
   - **a.** ☐ ses bulbes de tulipe noire.
   - **b.** ☐ les lettres de son parrain.
   - **c.** ☐ un peu d'argent.

5. En prison, Cornélius et Rosa
   - **a.** ☐ veulent faire pousser la tulipe noire.
   - **b.** ☐ veulent s'évader.
   - **c.** ☐ veulent tuer Gryphus.

6. Monsieur Jacob/Boxtel vient à Loewestein parce qu'il est
   - **a.** ☐ amoureux de Rosa.
   - **b.** ☐ intéressé par la tulipe noire.
   - **c.** ☐ l'ami de Gryphus.

7. Rosa se rend à Haarlem
- **a.** ☐ avec la tulipe noire.
- **b.** ☐ avec le troisième bulbe de la tulipe noire.
- **c.** ☐ avec une lettre pour le président de la société horticole.

8. Guillaume d'Orange décide de libérer Cornélius parce que
- **a.** ☐ la tulipe noire est magnifique.
- **b.** ☐ il découvre que Cornélius n'est pas un traître.
- **c.** ☐ Rosa le lui a demandé.

9. Guillaume d'Orange découvre la vérité grâce à
- **a.** ☐ la feuille qui entoure le troisième bulbe de tulipe.
- **b.** ☐ la confession de Boxtel.
- **c.** ☐ une lettre de Cornélius.

2 **Répondez aux questions.**

1. Quels événements caractérisent le règne de Louis XIV ?

2. Pourquoi l'appelle-t-on le Roi-Soleil ?

3. Quelle fleur symbolise la royauté ?

4. Le tournesol a une vertu particulière. Laquelle ?

5. À quelle période correspond le XVIIe siècle ?

6. Pourquoi dit-on que Louis XIV est un mécène ?

La Tulipe Noire

AU THÉÂTRE

1. Comment passer du texte narratif au texte théâtral ?

Nous proposons ici quelques idées pour guider les élèves dans la réalisation d'une version théâtrale de *La Tulipe Noire*, et dans la représentation de ce texte. Cette démarche implique une réflexion bien précise : comment adapter pour la scène un récit destiné à la lecture ? Quels problèmes faut-il résoudre pour réaliser ce projet ? On essaiera de laisser les élèves s'exprimer le plus librement possible sur les questions suivantes.

Que ressentent-ils quand ils lisent un roman ? Instaurent-ils une relation avec les personnages du roman ? Ont-ils l'impression de participer à l'histoire qu'ils lisent ? Éprouvent-ils des émotions ? Pourquoi et quand ?

Le théâtre suscite-t-il les mêmes émotions ? Est-on lecteur ? Est-on seul ? Peut-on imaginer librement les personnages ?

Le récit et la pièce de théâtre : premières découvertes...

On donne aux élèves une photocopie de la première page d'un texte théâtral et de la première page d'un roman, et on leur demande de noter les différences dans la présentation graphique.

* Le récit ou le roman est divisé en chapitres, la pièce en actes et en scènes.
* Le récit alterne les dialogues et les passages narratifs, alors que dans la pièce de théâtre, il n'y a que des dialogues. Le nom du personnage qui parle est annoncé avant chaque réplique. Les didascalies sont indiquées avec des caractères graphiques différents (entre parenthèses ou en italique). Quelle est leur fonction ? À qui s'adressent-elles ?

Chaque scène se passe dans un lieu précis. Comment est annoncé ce lieu ? Comment le représente-t-on sur scène ? On leur fera prendre conscience du fait que le changement de lieu (de décor) peut déterminer un changement de scène ou d'acte (il faut avoir le temps de changer de décor.)

Quand les élèves ont trouvé toutes ces différences, on leur propose le projet : adapter *La Tulipe Noire* au théâtre.

La préparation de chaque étape sera collective, le professeur expliquant à toute la classe le problème à résoudre. La réalisation pourra être effectuée par groupes, chaque groupe travaillant sur un chapitre.

La division en chapitres et la division en scènes

On pose le problème suivant : le passage du chapitre à la scène est-il automatique, ou suppose-t-il certains impératifs ? Est-ce que pour 7 chapitres, on aura 7 scènes ?

Le professeur demande à chaque groupe de lire un chapitre et de faire une fiche : il note les personnages qui apparaissent dans le chapitre, le lieu où se déroule l'action, et la durée de l'action.

On constate que certains chapitres se passent dans plusieurs lieux différents, ou que l'action s'étale sur plusieurs jours. Au théâtre, c'est le décor qui marque le lieu, et le changement de décor demande une interruption... d'où le passage d'un acte ou d'une scène à l'autre...

Les chapitres posant problèmes sont le n. 3 (2 lieux-décors : la prison et le tribunal), le n. 5 (2 lieux : le jardin et la cellule, et la durée de l'action sur plusieurs jours), et le n. 7 (le début du chapitre se déroule à la Société Horticole, la fin sur la place publique de Haarlem).

Les passages narratifs et les passages dialogués

Comment transformer les passages narratifs pour le théâtre ?

Avant de lancer chaque groupe dans une recherche autonome, chapitre par chapitre, le professeur travaille avec toute la classe sur le début du premier chapitre et pose quelques problèmes concrets :

1. Comment transformer pour le théâtre le passage : « *Soudain, Cornélius murmure : Je dois te parler seul.* »

   Qui parle ? Comment parle-t-il ? Il murmure... Ce qui donne :

   Cornélius (*à voix basse*) : – Je dois te parler seul.

2. Comment représenter sur scène le passage : « *Le séchoir ! C'est là que Cornélius s'occupe en grand secret des bulbes de ses tulipes ! Même les domestiques n'entrent pas dans cette pièce mystérieuse !* »

   Quelle est la fonction de cette phrase dans le récit ? Qu'est-ce que l'auteur veut faire comprendre au lecteur par cette phrase ? (la proposition de

Cornélius – aller dans le séchoir – est extraordinaire, parce que Cornélius est très jaloux de ses tulipes ! Personne ne peut entrer dans le séchoir).

Comment transposer cela sur scène, pour le communiquer au spectateur ? Nous proposons dans notre version un mini-dialogue entre les domestiques, mais les élèves peuvent aussi proposer une mimique des domestiques pour exprimer la surprise, ou bien une seule réplique (monologue) d'un domestique. Il convient ici de faire comprendre aux élèves quelle est la fonction du monologue : le personnage qui parle « en lui-même » s'adresse au spectateur, pour communiquer ses pensées, ses intentions...

Quand le professeur se sera assuré que tous les élèves ont bien compris quels problèmes ils doivent résoudre, chaque groupe travaillera sur une ou plusieurs scènes.

Examinons le chapitre 5 : texte narratif au début du chapitre, à transformer en plusieurs scènes dialoguées (Cornélius dans sa cellule, il soigne le bulbe, Gryphus entre brutalement, il crie, il détruit le bulbe, Cornélius essaie de le retenir, puis il exprime son désespoir) ou mimées (Rosa va planter le bulbe dans le jardin, mais une ombre la suit) ou avec monologue (Rosa décide de planter le bulbe dans sa chambre, elle le dit aux spectateurs).

Ces problèmes résolus, la classe aura produit sa propre adaptation théâtrale de *La Tulipe Noire*. L'adaptation que nous vous proposons n'est en fait qu'une proposition parmi d'autres. Il sera naturellement beaucoup plus gratifiant pour les élèves de produire et surtout de représenter leur propre texte.

2. La représentation théâtrale

Le travail de tous

La représentation théâtrale marque en général la conclusion d'une année scolaire : c'est un spectacle public, où une classe présente à toute l'école et aux familles, le résultat du travail d'une année. C'est un moment d'autant plus important que tous les élèves y sont impliqués, avec tous leurs professeurs. Pour la réalisation de ce projet particulier, le professeur de français peut solliciter la collaboration de plusieurs enseignants de la classe : professeur de dessin pour les décors, de musique pour le choix des musiques, d'histoire-géo pour la recherche iconographique sur les costumes et les décors, de technique pour la réalisation des accessoires, d'éducation physique pour apprendre aux jeunes acteurs à bouger sur scène et pourquoi pas de sciences naturelles pour expliquer le mécanisme de la naissance d'une fleur particulière, et pour créer une tulipe noire... presque vraie ! Quant aux mamans, on sollicitera leur collaboration pour la réalisation des costumes.

Les acteurs

Il est capital que tous les élèves de la classe participent et montent sur scène : comme acteurs ou figurants. Les personnages et les figurants sont très nombreux : Cornélius Van Baerle, Corneille de Witt, Gryphus, Rosa, Isaac Boxtel-Jacob Gisels, Guillaume d'Orange, le président Van Systens, Craeke, le magistrat, les juges, les domestiques, la foule.

On demande aux élèves de relire le texte et de relever les éléments utiles pour caractériser physiquement et psychologiquement chaque personnage.

Chaque groupe peut produire un petit texte pour le personnage sur lequel il a travaillé.

Les décors

Comme pour les personnages, on relève dans le texte les éléments caractérisants pour chaque lieu. En s'aidant des illustrations, les élèves doivent imaginer comment est le séchoir, la cellule. Qu'y a-t-il dans la cellule ? Comment est la salle où le Président reçoit Rosa ? Comment est la place de Haarlem ?

En outre, ils devront pour chaque scène faire une liste de tous les accessoires à trouver ou à confectionner (le message, les bulbes, les pots, le télescope, etc.). Pour chaque lieu, on dessine un décor à fixer rapidement sur des panneaux d'aggloméré.

Les musiques

Le professeur de musique pourra proposer aux élèves des musiques du XVIIe siècle, pour marquer le passage entre chaque acte. Il serait intéressant de laisser le choix aux élèves, toujours en leur demandant de motiver leurs préférences.

Le bruitage

Bruits de pas dans l'escalier, hurlements de la foule... Bien cachés derrière les coulisses, les élèves qui ne sont pas sur scène s'en chargeront. La musique et les effets sonores contenus dans l'enregistrement audio pourront aider les élèves dans cette recherche.

Les lumières

Les jeux de lumière sont importants à la première scène (lumière d'abord sur le séchoir, puis le séchoir est dans l'obscurité, et faisceau de lumière sur Boxtel). Bien sûr, peu d'écoles possèdent des projecteurs, mais on peut remédier avec des lampes électriques camouflées en bougeoirs.

Le passage qui raconte la naissance de la tulipe se déroule sur plusieurs jours. Pour évoquer le passage des jours, on peut avoir recours à la lumière qui s'éteint lentement, puis revient, avant de décliner à nouveau...

Les costumes

Pour la réalisation des costumes, les mamans savent faire des miracles avec quelques mètres de doublure. En fait, seul le costume de Rosa demandera un peu de travail de couture. Pour les personnages masculins, en s'inspirant des illustrations, on voit qu'il est facile de transformer un pantalon ou un fuseau ordinaire, une veste et une tunique en costume d'époque (il suffit de coudre une bande plus ou moins riche sur les côtés du pantalon, d'un foulard savamment noué autour du cou, ou encore d'une collerette en papier crépon...)

Acte 1 scène 1

Cornélius Van Baerle, Corneille de Witt, deux domestiques
(Nous sommes en Hollande, à Dordrecht, un soir de janvier 1672,
chez Cornélius Van Baerle. Il est avec son parrain, Corneille de Witt.
Isaac Boxtel est dans la maison en face.)

Corneille (*tout bas*) : Cornélius, je dois te parler seul !

Cornélius (*à voix haute*) : Monsieur, voulez-vous visiter mon séchoir de tulipes ?

(Les domestiques surpris arrêtent leur travail.
Cornélius et son oncle s'éloignent avec une bougie.)

Un domestique : Le séchoir ! Nous, nous ne pouvons pas entrer dans cette pièce ! Notre maître ne veut pas !

Une domestique : Bien sûr ! Monsieur Cornélius conserve les bulbes de ses tulipes dans le séchoir !

Acte 1 scène 2

Cornélius, Corneille, Isaac Boxtel

(Il fait nuit. On voit seulement les deux hommes. Une bougie les éclaire.
Dans la maison en face Isaac Boxtel est derrière son télescope.
Il observe toute la scène.)

Cornélius : Alors, parrain ?

Corneille : Je dois te parler de problèmes graves... Le roi de France...

Cornélius : Oh, la politique, encore !

Corneille : Écoute-moi, s'il te plaît. Le roi de France, Louis XIV, le Roi-Soleil
occupe notre pays... Je suis l'ami de Louis XIV, mais...

Cornélius : Mais ?

Corneille : Mais le peuple hollandais n'aime pas ce roi. Mon ennemi,
Guillaume d'Orange, le petit-fils du roi d'Angleterre, complote contre
moi... Mais tu écoutes ?

Cornélius : Comment ? Oui, oui j'écoute... mais excusez-moi, parrain... cela
ne m'intéresse pas beaucoup...

Corneille : Je sais... Mais tiens, prends ce paquet... Prends-le ! Cache-le ! Ne
l'ouvre pas ! C'est un secret *(Il donne un paquet à Cornélius.)*

Cornélius : *(il prend le paquet. Il ouvre un tiroir.)* Voilà, je mets ce paquet ici,
dans ce tiroir, avec mes bulbes.

Corneille : *(il prend les mains de Cornélius)* Je te remercie ! Maintenant,
parle-moi de tes fleurs...

Cornélius : Ah ! Mes fleurs ! Mes tulipes ! Ce sont les plus belles de Hollande !

Corneille : Tu exagères...

Cornélius : Pas du tout ! Et puis, moi aussi, j'ai un secret...

Corneille : Un secret ?

Cornélius : Oui... La société horticole de Haarlem donne cent mille florins à
qui produira la tulipe noire...

Corneille : Une tulipe noire ? Mais les tulipes sont rouges, blanches, jaunes,
roses... Une tulipe noire ! Ce n'est pas possible !

Cornélius : Si, c'est possible ! Imaginez... une tulipe merveilleuse, noire
comme la nuit... *(il souffle la bougie.)*

Isaac Boxtel *(il se relève et se frotte les mains)* : Voilà enfin l'occasion
d'éliminer ce Van Baerle... C'est moi, le meilleur tulipier de Hollande ! La
tulipe noire sera bientôt à moi !

87

Acte 1 scène 3

Cornélius, Craeke, Isaac Boxtel, un domestique, le magistrat, des gardes

(Nous sommes chez Cornélius.

Il est dans le séchoir, il tient dans ses mains trois bulbes de tulipe.)

Cornélius : Ils sont lisses ! Ils sont parfaits... Je suis sûr qu'ils donneront la tulipe noire... *(on entend du bruit dans l'escalier)* Qui va là ?

Craeke *(il entre précipitemment)* : C'est Craeke, le domestique de votre parrain.

(Cornélius laisse tomber deux bulbes ;

l'un va sous une table, l'autre dans la cheminée.)

Cornélius : Au diable ! *(Il se met à genoux, il cherche les bulbes.)*

Craeke : Monsieur, lisez ce message tout de suite ! L'heure est grave ! *(Il pose le message de Corneille sur la table, et il part.)*

Cornélius *(toujours à genoux)* : Oui, Oui ! Ah ! voilà le premier bulbe ! Il est intact ! *(Il se déplace dans la pièce, toujours à genoux)* Quelle chance ! Voilà le deuxième ! Il est intact, lui aussi !

Un domestique *(il entre dans le séchoir)* : Monsieur, partez, partez tout de suite !

Cornélius : Partir ? Mais que dis-tu ?

Le domestique : Il y a des gardes, qui vous cherchent !

Cornélius : Qui me cherchent ? Pourquoi ?

Le domestique : Pour vous arrêter, monsieur, et vous mettre en prison ! Partez !

Cornélius : M'arrêter, moi ? Mais pourquoi donc ? *(Cornélius se relève.)*

Le domestique : Partez, Monsieur, ils montent !

(Les gardes entrent dans la pièce. Un magistrat les accompagne. Cornélius prend le message sur la table ; il enveloppe les trois bulbes, et il les met contre sa poitrine.)

Le magistrat : Monsieur Van Baerle, vous cachez des lettres chez vous !

Cornélius *(surpris)* : Des lettres ?

Le magistrat : Oui, Monsieur ! Nous voulons les lettres de Corneille de Witt !

Cornélius : Mais de quoi parlez-vous ?

Le magistrat : Vous refusez de les donner ? Alors, je vais les prendre moi-même ! *(Il va vers un tiroir. Il prend le paquet, et l'ouvre.)* Ah ! On nous a donc bien informés ! Ce sont des lettres d'officiers français ! Vous complotez contre la Hollande, Monsieur Van Baerle ! Suivez-nous ! Je vous arrête ! (*Les gardes entourent Cornélius.*)

Cornélius : Mais ce paquet n'est pas à moi ! Vous n'avez pas le droit ! Mon parrain Corneille de Witt est le gouverneur de la Hollande, et...

Le magistrat : Votre parrain Corneille de Witt est mort ! Maintenant le gouverneur de la Hollande est le Prince Guillaume d'Orange.

Cornélius *(très surpris)* : Que dites-vous ! ?

(*Cornélius suit les gardes. Il serre toujours contre lui les trois bulbes, enveloppés dans le message de Corneille.*)

(*Ils passent devant Boxtel qui est caché derrière un mur.*)

Boxtel *(il se frotte les mains)* : Ce soir, je vais enfin pouvoir entrer dans le séchoir et prendre les bulbes de la tulipe noire !

Acte 2 scène 1

Cornélius, Gryphus, Rosa

(*Cornélius est enfermé dans la prison de Loewestein.*
Gryphus lui apporte son dîner.)

Gryphus : Voilà, Monsieur... C'est sûrement votre dernier repas... Les juges n'aiment pas les traîtres ! *(Il se met à rire et sort. Cornélius reste seul, il est triste.)*

Rosa *(derrière la porte)* : Monsieur !

Cornélius *(il va vers la porte)* : Mademoiselle... qui êtes-vous ?

Rosa *(elle ouvre le guichet)* : Je suis Rosa, la fille de Gryphus. N'écoutez pas mon père, monsieur. Vous allez vivre !

Cornélius : Non ! J'ai peur... Mademoiselle, vous êtes bonne... Si je dois mourir... je vous donne... *(Il prend le papier qui contient les bulbes.)*

Rosa : Mais, qu'est-ce que c'est ?

Cornélius : J'aime les fleurs, Rosa... Ne riez pas ! J'ai trouvé le secret de la tulipe noire... Voici les bulbes... Prenez-les, Rosa, ils sont à vous.

Rosa : Mais monsieur, je ne sais pas...

Cornélius : Écoutez bien, Rosa ! Plantez ces bulbes... Protégez-les du vent, du soleil. La tulipe noire fleurira en mai... Puis écrivez à la société horticole de Haarlem. Vous gagnerez cent mille florins ! Ce sera votre dot, chère Rosa.

Gryphus *(on l'entend crier)* : Rosa ! Où es-tu ?

Rosa : C'est mon père ! Adieu, Monsieur ! *(Elle prend les bulbes, elle ferme le guichet et elle part.)*

Acte 2 scène 2
Cornélius, des juges, deux gardes

Un juge : Monsieur Cornélius Van Baerle, vous avez gardé chez vous ces lettres *(il montre le paquet de lettres à Cornélius.)*

Cornélius : Oui, Messieurs.

Le deuxième juge : Vous êtes donc complice de Monsieur Corneille de Witt, ce traître ! Vous avez conspiré avec des officiers français, contre Guillaume d'Orange !

Cornélius *(véhément)* : Non, Messieurs. J'ai seulement pris ce paquet. Je ne fais pas de politique, moi !

Le premier juge *(très fort)* : Silence ! Vous méritez la mort, comme votre parrain.

Cornélius *(avec conviction)* : Sur mon honneur, je n'ai pas ouvert ce paquet !

Le deuxième juge : Vous ne pouvez pas le prouver, monsieur Van Baerle... *(Plus calmement)* Mais Monseigneur Guillaume d'Orange est un prince généreux... *(une pause).* Il a demandé votre grâce. Vous passerez le reste de vos jours dans la prison de Loewestein. *(Les juges se lèvent et sortent, les gardes emmènent Cornélius)*

Acte 2 scène 3
Cornélius, Gryphus, Rosa

(Cornélius est dans sa cellule. Rosa derrière le guichet.
On entend sonner 9 heures. Puis un pas léger dans l'escalier.)

Rosa *(elle ouvre le guichet)* : C'est moi !

Cornélius : Oh ma bonne Rosa ! Vous êtes venue !

Rosa : Oui ! Le soir, mon père s'endort très tôt ; alors...si vous êtes d'accord... je peux venir parler avec vous, pendant un moment...

Cornélius : Oh, je vous remercie, chère Rosa

Rosa *(elle tend les bulbes à travers le guichet)* : J'ai rapporté vos bulbes de tulipe...

Cornélius *(il hésite, il ne prend pas les bulbes)* : Écoutez, ces bulbes sont uniques... il faut être très prudents...

Rosa : Mais que voulez-vous faire ?

Cornélius : Est-ce qu'il y a dans cette prison un petit jardin, une cour ou une terrasse ?

Rosa : Il y a un jardin, avec des arbres.

Cornélius : Vous pouvez m'apporter de la terre de ce jardin ?

Rosa : Bien sûr !

Cornélius : Alors, voici mon plan, Rosa. Plantez le premier bulbe dans le jardin...

Rosa : Et les autres ?

Cornélius : Je prends le deuxième pour le faire pousser ici... Il y a un peu de soleil dans l'après-midi. C'est possible !

Rosa : Et le troisième ?

Cornélius : Cachez-le chez vous.

Rosa : Bien ! Je peux vous apporter un peu de terre chaque soir...

Cornélius : Oui, mais faites attention ! Ne parlez à personne de tout ceci. Vous êtes seule ici avec votre père ?

Rosa : Non... Un homme est arrivé l'autre jour, juste après vous... Il est toujours avec mon père...

Cornélius : Un homme... Qui est-ce ?

Rosa : Il s'appelle Jacob Gisels.

Cornélius : Que veut-il ?

Rosa : Je ne sais pas... Mais il me regarde tout le temps , il me suit... Je crois qu'il est amoureux...

Cornélius : Et...vous l'aimez ?

Rosa : L'aimer, lui ? Oh non... bien sûr que non ! (*Elle soupire.*)

Cornélius (*il prend les mains de Rosa*) : Oh, chère Rosa !...

Acte 2 scène 4

Cornélius, Gryphus, Rosa, une ombre

(*Cornélius est seul dans sa cellule. Il tient un pot, rempli de terre. La tulipe vient de sortir. Gryphus entre brusquement.*)

Gryphus : Qu'est-ce que c'est ? Donnez-moi ça ! (*il va vers Cornélius, il détruit le pot.*)

Cornélius : Non ! Ma tulipe !

Acte 2 scène 5

Rosa, une ombre

(Rosa est dans le jardin. Elle va planter son bulbe. Mais quelqu'un la suit.)

Rosa *(tout bas)* : Je le planterai dans ma chambre ! *(Elle part, l'ombre va remuer la terre, à la recherche du bulbe.)*

Acte 2 scène 6

(Dans la cellule : Rosa est derrière le guichet.)

Rosa : La tulipe a levé !

Cornélius : Comment ? Ah, Rosa ! *(à travers le guichet il embrasse Rosa)* Elle est bien droite ?

Rosa : Oui, elle est droite !

Cornélius : Et elle est haute ?

Rosa : Oui, deux pouces au moins.

Cornélius : Oh Rosa, elle va grandir vite !

(Rosa part, le jour se lève plusieurs fois.)

Rosa : Les feuilles sont ouvertes !

Cornélius : Les feuilles sont ouvertes ! Comment sont-elles ?

Rosa : Droites et vertes !

Rosa : Elle est entrouverte !

Cornélius : Entrouverte ! Alors, on peut voir la couleur ?

Rosa : Oui, elle est foncée...

Cornélius : Brun ?

Rosa : Oh ! Plus foncée ! Foncée comme l'encre, comme la nuit.

Cornélius : Ah Rosa ! Ma tulipe fleurit, et elle sera noire, j'en suis sûr !

Rosa : Oui, elle va fleurir, demain ou après demain.

Cornélius : Demain... et je ne pourrai pas la voir !

Rosa : Cornélius, mon ami, venez vite ! Elle est ouverte et elle est noire ! La voilà !

Cornélius : Comment, la voilà ?

Rosa : Oui, oui ! La voilà, regardez ! *(Elle montre la tulipe à Cornélius.)*

Cornélius : Oh ! Elle est splendide, magnifique et sa fleur est noire et brillante. Vite, il faut écrire à Haarlem, au Président de la société horticole.

Rosa : C'est déjà fait. Je rapporte la tulipe dans ma chambre et je donne la lettre à un domestique. Il est prêt à partir pour Haarlem. *(Elle part.)*

Rosa : *(agitée)* Cornélius ! La tulipe !

Cornélius : Eh bien ?

Rosa : On l'a prise, on l'a volée...

Cornélius : Volée... Mais comment ? Quand ?

Rosa : Je l'ai laissée un instant seulement, pour apporter la lettre au domestique. Quand je suis retournée dans ma chambre, je n'ai plus retrouvé la tulipe ! Oh Cornélius ! Qu'allons-nous faire ?

🦋

Acte 3 scène 1

Rosa, le Président Van Systens, Guillaume d'Orange, un domestique, la foule
(Nous sommes à Haarlem, chez le Président de la société horticole.)

Rosa : Je veux parler à Monsieur le Président. Il s'agit de la tulipe noire. *(Le domestique la fait entrer, le président Van Systens arrive.)*

Le président : Eh bien, Mademoiselle, vous venez pour la tulipe noire ?

Rosa : Oui monsieur. On me l'a volée !

Le président : On vous l'a volée ? Et qui donc ?

Rosa : Oh, je ne peux accuser personne, mais...

Le président : De toute façon, vous arrivez trop tard, ma fille. Quelqu'un a déjà déposé une tulipe noire ce matin.

Rosa : Qui ?

Le président : Monsieur Isaac Boxtel.

Rosa : Isaac Boxtel ? Qui est-ce ? C'est la première fois que j'entends ce nom *(Elle réfléchit et elle a comme une illumination.)* Monsieur, Isaac Boxtel est un homme maigre ?

Le président : Oui...

Rosa : Et... il est chauve ?

Le président : Oui.

Rosa : Et... il marche le dos courbé ?

Le président : Mais oui ! Alors, vous le connaissez ?

Rosa : C'est lui ! C'est M. Jacob ! C'est lui qui a volé ma tulipe !

Le président : Monsieur Jacob ? Mais que dites-vous ? Il s'appelle Isaac Boxtel !

Rosa : Monsieur ! Je dis la vérité ! Je dis la vérité ! Vous devez me croire !

La foule *(dehors)* : Monseigneur ! Vive Monseigneur !

Le président : *(il va vers la fenêtre)* : Que se passe-t-il ? *(Il regarde par la fenêtre.)* Ce n'est pas possible ! *(Il va vers la porte, le prince Guillaume* *d'Orange entre.)* Monseigneur, Votre Altesse chez moi ! Quel honneur !

Guillaume d'Orange : Cher Monsieur, j'ai appris la nouvelle et je suis impatient de voir la tulipe noire. Où est-elle ?

Le président : Son propriétaire va l'apporter, Monseigneur... mais...

Guillaume d'Orange : Qu'y a-t-il ?

Le président : Il y a un problème, Monseigneur... Cette jeune fille réclame la tulipe, elle prétend que c'est la sienne...

Guillaume d'Orange : Cette jeune fille ? Eh bien, interrogeons-la ! Je suis le premier magistrat du pays, je ferai justice...

Acte 3 scène 2

Guillaume d'Orange, Rosa, le Président Van Systens, Isaac Boxtel

Guillaume d'Orange : Eh bien, Mademoiselle, qui êtes-vous ?

Rosa : Je suis la fille du gardien de la prison de Loewestein...

Guillaume d'Orange : Et vous prétendez avoir créé la tulipe noire ? Vous êtes alors une savante fleuriste !

Rosa *(elle hésite)* : Eh bien non, moi, je ne suis qu'une fille du peuple... C'est un prisonnier qui a fait pousser la tulipe noire.

Guillaume d'Orange : Un prisonnier ? Et qui donc ?

Rosa : Cornélius Van Baerle.

Guillaume d'Orange *(en colère)* : Cornélius Van Baerle ! Le filleul de Corneille de Witt, ce traître, ce conspirateur ! *(Il marche en long et en large, en colère).* Mademoiselle, vous savez qu'il est interdit de parler aux prisonniers d'État ! C'est grave ce que vous avez fait et je vais...

(Il s'interrompt car Boxtel entre. Il porte la tulipe noire.)

Rosa *(elle crie et montre Boxtel du doigt)* : C'est lui ! C'est Monsieur Jacob ! Il a ma tulipe ! Il l'a volée dans ma chambre !

Guillaume d'Orange : *(à Boxtel)* Monsieur, qui êtes-vous ?

Boxtel : Je m'appelle Isaac Boxtel, Monseigneur.

Guillaume d'Orange : Et cette tulipe est à vous ?

Boxtel : Oui, Monseigneur.

Rosa *(elle crie)* : Il ment ! Monseigneur, demandez-lui où sont les trois bulbes !

Guillaume d'Orange : Eh bien, où sont-ils ?

Boxtel : Le premier est mort, le deuxième a donné la tulipe noire...

Guillaume d'Orange : Et le troisième ?

Boxtel : Le troisième... Il...il est chez moi !

Rosa (*elle crie*) : Ce n'est pas vrai ! Monseigneur, voici le troisième bulbe ! Il appartient à Cornélius Van Baerle ! (*Elle donne le bulbe toujours enveloppé dans le message de Corneille. Guillaume d'Orange le prend.*)

Guillaume d'Orange : (*à part : il déplie la feuille et lit le message*) : « Cher filleul, brûle le paquet de lettres que je t'ai donné. Brûle-le sans l'ouvrir et sans le regarder ! Tu auras ainsi la vie sauve et nous aussi. Adieu et aime-moi ! Corneille de Witt ». Mon Dieu ! Cornélius Van Baerle a dit la vérité ! Ce message prouve son innocence ! (*à voix haute*) Retirez vous ! Dans deux jours, justice sera faite !

Acte 3 scène 3

Rosa, Isaac Boxtel, Cornélius, Guillaume d'Orange,
le Président Van Systens, des gardes, la foule
(*À Haarlem, sur la place de la ville : sur une estrade, il y a la tulipe noire, des gardes, le président Van systens, Rosa, Boxtel et Guillaume d'Orange. Cornélius, entouré de gardes, est au premier rang dans la foule.*)

Guillaume d'Orange (*à Rosa*) : Mademoiselle, cette tulipe est à vous ?

Rosa : Oui, Monseigneur.

Guillaume d'Orange : Eh bien, voici les cent mille florins. (*Il lui donne une bourse, Boxtel avance pour protester.*) Monsieur Boxtel, ne protestez pas ! Vous êtes un imposteur et un voleur ! Vous serez puni, comme il se doit !

(*Guillaume d'Orange prend Rosa par la main et va vers Cornélius.*)

Guillaume d'Orange (*à Cornélius*) : Monsieur, vous avez été condamné injustement. Vous n'avez pas conspiré contre moi. Vous êtes un homme libre. Vous pouvez rentrer chez vous, à Dordrecht, et épouser cette jeune fille... à qui vous devez beaucoup ! (*Il met la main de Rosa dans la main de Cornélius. Puis il les conduit tous les deux vers la tulipe noire.*) La tulipe noire s'appellera « Rosa Baerlensis », comme vous, Rosa Van Baerle, puisque c'est votre nom maintenant.